NIAGARA FALLS

Irving Weisdorf & Co., Ltd.

*La rivière Niagara culbute sur les **chutes Rainbow** avant de se jeter dans son nouveau lit.*

es **Chutes Niagara**, considérées comme l'une des grandes merveilles du monde, toute de beauté et de majesté, ont enivré et inspiré esthètes et assoiffés de sensations fortes dès les premiers jours de leur découverte. Pendant des milliers d'années, ce spectacle grandiose «appartenait» aux autochtones. Portageant le long de la rivière, ils entendirent le ronflement des chutes bien avant de les apercevoir. Ce ronflement tonitruant les incita à leur donner le nom d'**Onguiaahra** (plus tard Niagara), qui signifie «Grand tonnerre d'eau». Éblouies par leur beauté et leur puissance, les tribus qui suivirent s'approprièrent les chutes. Pour les autochtones, les chutes avaient la valeur spirituelle d'un dieu puissant et sévère dissimulé dans la cataracte.

Les historiens ont rapporté que le premier Européen à découvrir les chutes était le **Père Louis Hennepin,** un prêtre français qui accompagnait alors l'explorateur LaSalle. Le spectacle a dû lui inspirer un certain respect mêlé de crainte si l'on se fie au passage suivant de ses écrits : *«Ces eaux écument et bouillonnent dans un fracas assourdissant. Elles tonnent sans répit».* Une description toutefois quelque peu restreinte pour un prêtre aventurier, lorsqu'on réalise que les chutes transportaient alors un volume d'eau deux fois plus important qu'aujourd'hui.

De nos jours, les centrales hydrauliques détournent près des deux tiers de l'eau des chutes pour réchauffer, illuminer et faire vivre les résidents de l'Ontario et de l'Est des États-Unis. Impressionnantes aujourd'hui, nous ne pouvons qu'imaginer ce qu'elles étaient alors!

*Les **chutes en fer à cheval** dans toute leur puissance et dans tout leur charme*

Les chutes Rainbow avec le «Maid-of-the-Mist» à l'avant - Des foules de spectateurs s'empressent le long de l'escarpement de l'île Lun...

ILS VIENNENT POUR ADMIRER LA VUE

Et ils en ont pour leur argent! À votre première visite, vous vous joindrez vraisemblablement à la foule des spectateurs qui défilent sur les trottoirs longeant la falaise. De cet endroit, vous pourrez admirer les **chutes américaines**, dont les principales, les **chutes Rainbow** et les **chutes du voile nuptial**, séparées par l'**île Luna**. Plus au sud, les chutes canadiennes ou **chutes en fer à cheval,** qui transportent 90 % du volume d'eau. Un simple coup d'oeil sur cette extraordinaire cataracte et vous en aurez le souffle coupé. Des lunettes d'observation ont été placées à intervalles réguliers pour étudier les chutes de plus près. Vous risquez de vous faire arroser par les

embruns, mais ça fait partie de l'aventure. Certains affirment que ceux qui n'en sont pas repartis légèrement mouillés n'ont pas vraiment vu les chutes.

Dans les livres, les photos classiques sont presque toujours prises à partir d'un pont. Ainsi, à Niagara, on aperçoit, du **pont Rainbow**, les deux chutes, les rapides, le **Maid-of-the-Mist** et, presque tous les jours, un splendide arc-en-ciel. Vous pouvez également admirer ce spectacle impressionnant d'en-haut, d'en-bas, de derrière et de côté.

*Les touristes déferlent tout l'été le long des **chutes en fer à cheval**.*

◄ *L'imposante **tour Skylon** vous propose une vue impressionnante sur toute la scène du Niagara.*

*Un point de vue favori d'où observer les **chutes américaines** et le **pont Rainbow**.*

Vue d'hélicoptère d'une rivière tumultueuse, des chutes américaines et du pont Rainbow.

En plus de profiter d'une vue d'hélicoptère imprenable sur les chutes, les passagers goûtent à une aventure inoubliable.

Pour ceux qui veulent voir les chutes du ciel et prendre quelques belles photos, rien ne vaut une randonnée en hélicoptère, offerte par l'une des trois compagnies de circuits aériens tous les jours de l'année, lorsque le temps le permet.

Un ascenseur vous conduit à travers le rocher solide jusqu'aux tunnels panoramiques Table Rock derrière les chutes en fer à cheval. Au travers des ouvertures de ces tunnels, une vue grandiose sur la chute d'eau se déversant droit sous vos yeux. Un autre tunnel vous emmène vers une plate-forme d'observation extérieure nichée à mi-hauteur dans la falaise. Les livres d'histoire montrent des photos des premiers explorateurs élevant le drapeau français presqu'à cet endroit... *qui y grimpèrent à pied!*

Depuis 1846, le Maid-of-the-Mist vous emporte dans les eaux turbulentes et les chenaux rocailleux à la base des deux chutes.

◄ *Vue d'hélicoptère des **chutes américaines** et des **chutes en fer à cheval** enveloppées d'embruns.*

Niagara Falls (New York) *vue du ciel. Superbe vue de l'île Goat et de ses compagnes. Le Centre des congrès un peu plus loir*

La tour du Centre Minolta semble jaillir de sa colline boisée. Accessible par le confortable chemin de fer incliné.

Pour une vue d'en-haut, un ascenseur, du côté américain des chutes, vous transporte bien au-dessus de la rivière vers une **plate-forme d'observation** extérieure. Pour une aventure plus excitante encore, prenez ce même ascenseur vers les soubassements rocheux juste à côté des **chutes américaines.** Ouvert toute l'année.

Toutefois, par une belle journée d'hiver, quoi de plus extraordinaire que d'observer les embruns qui gèlent au fur et à mesure qu'ils retombent dans l'air. N'oubliez pas votre appareil photo, parce que cette merveille de la nature, qui varie en fonction des humeurs du vent et de la température, n'est jamais deux fois pareille.

La plate-forme d'observation, de laquelle on peut s'approcher de la cataracte ou monter jusqu'au poste panoramique.

*Restaurant **Victoria Park** et boutiques.*
*La **tour Skylon** derrière.*

*Une soirée sur la **tour Skylon**, boutiques et jeux sous la salle à manger et salle de divertissements plus haut.* ➤

Pour jouir d'une vue tout aussi panoramique, on peut également se rendre dans l'un des excellents restaurants du parc. Le restaurant le plus proche des chutes est le **Table Rock**, où l'on ressent encore le remous des eaux. Les salles à manger panoramiques du **restaurant Victoria Park** et du **Skyline Foxhead** offrent également d'impressionnants points de vue. Pour une vue panoramique sur les chutes et les environs, offrez-vous un repas dans l'une des imposantes tour de Niagara. La tour du Centre Minolta, **Top of the Rainbow**, a remporté à quatre reprises le prestigieux prix du restaurant de l'année. Le restaurant tournant de la **tour Skylon** vous propose non seulement une vue grandiose sur les chutes, mais aussi une vue intéressante sur les quartiers industriels et sur l'architecture de cette ville-frontière bouillonnante. Les deux tours vous proposent expositions, boutiques et salles de divertissements.

Intérieur de la salle à manger de la tour Skylon. Un endroit où l'on peut manger tout en admirant les chutes.

12

Une superbe fontaine illuminée la nuit dans le parc de la reine Victoria.

LES PARCS

Le début du dix-neuvième siècle a vu une invasion de touristes de tous les coins du monde. Certains campaient même le long des rives et achetaient des provisions des fermes et marchands locaux. C'est ainsi que prit naissance l'industrie de l'accueil dans cette région. Opportunistes et entrepreneurs ne manquèrent pas l'occasion. Ils se serrèrent dans les zones dominantes pour colporter pacotilles et services douteux. Préoccupés par cette infiltration, les gouvernements canadien et américain s'emparèrent des terres adjacentes aux chutes pour en faire des parcs permanents.

Le côté canadien devait plus tard accroître son domaine en y ajoutant une bande de terrains tout le long de la rivière Niagara. L'entretien et le développement sont désormais contrôlés par la Commission des parcs du Niagara. Des endroits pour pique-niquer, se promener, faire de la bicyclette, des voies accessibles par fauteuil roulant, un terrain de golf, des centres d'information et des endroits où se rafraîchir longent la promenade.

*Les **chutes en fer à cheval** resplendissantes de couleurs.*

*Les **chutes Rainbow** (chutes américaines) rayonnantes de blancheur.*

*Roseraie et fontaine dans un jardin-serre de **Niagara Falls**. Les tours du **Centre Minolta et Skylon** en surplomb à l'arrière.*

Les **jardins formels** et le **théâtre Oakes** sont des favoris des amoureux et des rêveurs. Juste au sud se trouve le **parc de la reine Victoria**, un endroit idéal pour les réunions de famille et les promenades, quelle que soit l'époque de l'année. Plus loin, les **serres de Niagara Falls**, avec des expositions florales extravagantes pour chaque saison. Ouvertes toute l'année, sauf les 24 et 25 décembre. Un peu plus loin, le populaire **Marineland**, parc à spectacles et d'amusement célèbre et grandiose. Le calme s'installe dès que l'on atteint les **îles Dufferin**, au sud des **chutes en fer à cheval**. En dépit du voisinage, ces terrains boisés naturels sont un paradis de tranquillité. Ici, dans les eaux dormantes de la violente rivière supérieure, vous pouvez nager, patauger ou faire du pédalo. Tout particulièrement agréable en automne. Mais ne vous surprenez pas d'y rencontrer autant de «locaux» que de touristes.

*Enfants pédalant autour des paisibles **îles Dufferin**.*

Les jardins botaniques de Niagara, un festin pour les yeux et pour le nez!

En dirigeant plus au nord sur la promenade Niagara, après les rapides et les tourbillons, on arrive à l'**école d'horticulture de Niagara** et dans les **jardins botaniques des parcs de Niagara.** Égarez-vous dans cette étendue de cent acres, paradis de fleurs, herbes, arbres et buissons. Plus au nord, la **fameuse horloge florale de Niagara**, ornée de quelque 15 000 plantes. À côté de l'horloge, un jardin de lilas grandiose, avec quelque 1 500 espèces de lilas plantées chaque année en mai exhalant une odeur suave.

Le **Niagara Glen**, en face de l'école d'horticulture, offre une des promenades parmi les plus intéressantes de la région. Un guide touristique vous emmènera vers la gorge tout au bord de la rivière. Le **pont Queenston-Lewiston** est, selon les géologues, le lieu de naissance de Niagara Falls. L'érosion continue a conduit ce phénomène à sa position actuelle.

*L'automne est une saison parfaite pour admirer les merveilleux parcs à l'intérieur et tout autour de **Niagara Falls**.*

*Le **printemps** apporte de toute nouvelles couleurs à la région.*

Pavillons de pique-nique, endroits où se divertir et où se reposer et concerts gratuits le dimanche font du **parc Queenston Heights** une oasis pour les visiteurs tout comme pour les résidents de Niagara. L'imposant monument érigé en hommage à **Sir Isaac Brock**, qui perdit la vie dans la lutte pour conserver cette partie du Canada aux Canadiens, domine la ligne d'horizon, bien au-dessus du parc et de la rivière. Les âmes intrépides qui bravent les 235 marches en spirale menant au sommet de ce monument se méritent une vue parmi les plus imprenables au monde. La nature est à l'affiche, des terrains boisés jusqu'aux vignobles et aux bateaux à voile et à vapeur, les chutes, les rapides, Toronto et tout ce qu'il y a entre deux.

Aucune description des parcs de Niagara ne serait complète sans parler de **l'île Goat** et de ses compagnes, du côté américain de la rivière. Ces terres sont, sur mandat de l'État, moins développées que du côté canadien, ce qui les rend idéales pour les amoureux de la nature et les promenades romantiques et revigorantes. Il y reste encore beaucoup de forêt et de terres boisées naturelles. Les embruns des chutes contribuent à la croissance des arbres, buissons et fleurs sauvages. Bien que la vue sur les chutes soit relativement limitée, la proximité des puissants rapides supérieurs, les embruns et le fracas incessant sanctifient cette île admirable.

L'île Goat sépare les chutes américaines des chutes en fer à cheval et offre un point d'observation unique des rapides.

*La basse **rivière Niagara**, près de Queenston, est un endroit sûr pour tous les plaisanciers.*

*Les couleurs de l'automne offrent tout un contraste avec les espaces verts des **parcs de Niagara**.*

*Le remarquable **Jean François Gravalet (Blondin)** est encore de nos jours un des casse-cou favoris de Niagara.*

Bobby Leach et son tonneau.

CASSE-COU

En visitant Niagara Falls, vous apercevrez et entendrez de fréquentes références aux casse-cou des chutes ou des rapides. Certains affirment que tel ou tel a «conquis» les chutes Niagara. Toutefois, nous savons tous que les hommes et les femmes qui ont accompli ces tours de force l'ont fait par esprit d'aventure plutôt que par esprit guerrier. Pour eux, la rivière n'était autre qu'un compagnon de jeu, les défiant de se joindre à elle pour une odyssée des plus excitantes.

Le plus populaire et le plus mémorable des casse-cou était un funambule français du nom de Jean François Gravalet (dit **Blondin**), qui, en 1848, a traversé la gorge sur une corde raide. Blondin répéta cette performance à plusieurs reprises, y ajoutant parfois des exploits tels que celui de pousser une brouette, enveloppé dans un sac et portant son agent sur le dos. Mais n'oublions pas la fois où il transporta un poêle portatif jusqu'à mi-chemin, où il s'arrêta pour allumer un feu et cuire une omelette. Il servit ensuite cette omelette sur des assiettes en porcelaine de Chine, qu'il fit descendre jusque sur le Maid-of-the-Mist, beaucoup plus bas. Pendant longtemps, le spectacle de Blondin connut plus de succès que les chutes.

Son équilibre incomparable était presque égalé par son sens aiguisé de la comédie et son amour de la performance. D'autres funambules talentueux suivirent, mais aucun d'entre eux n'avait la magie ou le charisme de Blondin. Peut-être parce qu'il était le premier.

Les personnes qui descendaient les chutes à bord d'un tonneau n'avaient elles aucun contact avec le public. Isolées dans de sombres engins, elles étaient seules pour braver la cataracte tonnante. Le premier exploit est attribuable à

Mme **Annie Taylor**, une enseignante de soixante-trois ans de Bay City (Michigan). En 1901, Mme Taylor supervisa la conception et la construction de son propre tonneau et affirma en toute confiance qu'elle traverserait les chutes et en ressortirait vivante. À la grande surprise des sceptiques et des moqueurs, cette femme entêtée sortit de cette aventure sans une égratignure. D'autres suivirent dans des récipients plus ou moins scientifiquement conçus. Seuls cinq d'entre eux ont survécu.

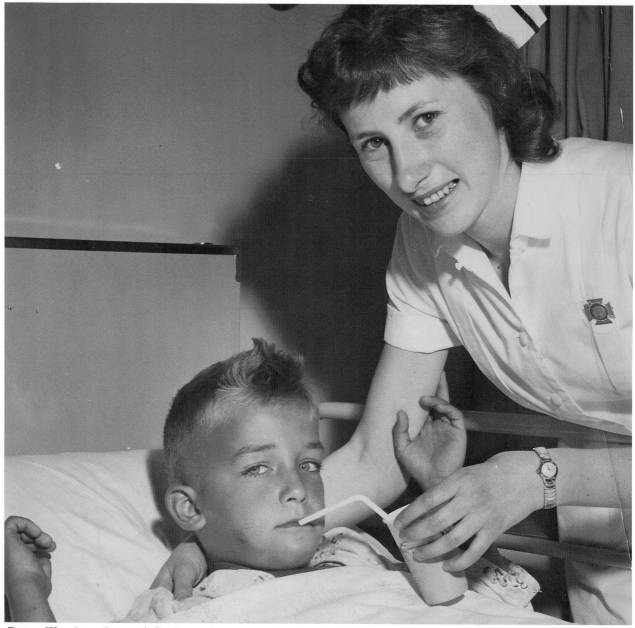

Roger Woodward et son infirmière après un sauvetage miraculeux.

Dans le cas de **Roger Woodward**, un garçon de sept ans, le coeur n'y était pas. Victime d'un accident de bateau sur la rivière supérieure, Roger fut emporté par les chutes, protégé par un simple gilet de sauvetage, et récupéré plus tard par le Maid-of-the-Mist. Lorsque le capitaine du bateau, **Christopher Keech**, le déclara vivant, des applaudissements de joie retentirent tant du côté de l'équipage que des passagers. Pour Niagara Falls, ce sauvetage tenait du miracle.

Entre temps, au bord des chutes en fer de cheval, la soeur de Roger, **Deanne**, prête à se faire emporter par les remous... À quelques mètres de la rive, **John Hayes**, un touriste du New Jersey, l'aperçut. Sans hésiter une seconde, Monsieur Hayes sauta par-dessus la rampe de protection à Terrapin Point. Il entendit les faibles cris de la petite fille et cria «nage, par ici». Il étendit le bras au-dessus des eaux tumultueuses jusqu'à ce que Deanne puisse s'accrocher à lui. Hayes, en danger d'être balayé par la cascade, appela au secours. **John Quatrocchi**, résident de Pensylvannie, grimpa alors courageusement sur la rampe et l'aida à terminer son sauvetage. Bien que l'aventure de Deanne n'ait pas été aussi sensationnelle que celle de son frère, il est bon de rappeler que deux étrangers ont risqué leur vie pour sauver celle de cette petite fille. Furieuse, la rivière engloutit le bateau et son propriétaire.

Dave Munday priant à côté de son tonneau.

Une fois ne suffit pas à John David Munday. Poussé par le goût du danger, cet homme, qui ne savait pas nager, fit sa première tentative en juillet 1985. Toutefois, la police avait contacté les centrales électriques pour leur demander de réduire l'écoulement d'eau et Munday fut rattrapé dans un bassin hydraulique au-dessus des chutes. L'entêtement poussa Munday à y retourner avec son tonneau le 5 octobre de la même année, date à laquelle il réussit son premier plongeon.

En juillet 1990, Munday fut à nouveau arrêté au bord des chutes en fer à cheval par un rocher. Il n'abandonna toutefois pas. Le 26 septembre 1993, huit ans après son premier succès, Munday devint la première personne à survivre deux descentes des chutes Niagara en tonneau.

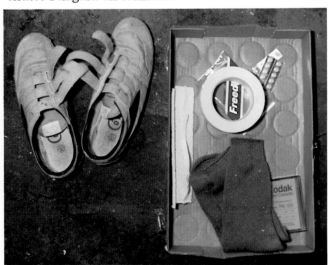

*Les porte-bonheur de **Munday**.*

Munday sauvé.

Page précédente: **Dave Munday**, *le 26 septembre 1993,
survécut à sa deuxième descente des chutes en tonneau.*

Munday est aidé hors de son tonneau, sain et sauf.

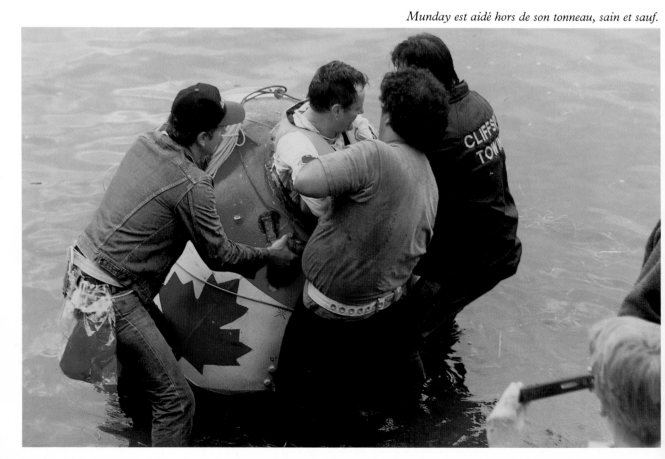

Tout compte rendu d'exploits courageux se doit d'inclure celui de **William (Red) Hill**. Il a voué sa vie entière à la rivière Niagara. Bien qu'il n'ait jamais tenté «l'impossible», il a aidé ceux qui l'ont fait, bravant les rapides pour en sortir ces aventuriers et, parfois, leurs navires brisés et troués. Trois fois il a vaincu les rapides du **Tourbillon** à Queenston. Il a consacré sa vie entière à aider les personnes en danger, à conseiller les acrobates de rivière, à sauver des vies et à récupérer le corps de victimes d'accident ou de suicide. Il s'est mérité la médaille de la Humane Association quatre fois pour son extraordinaire vaillance - la première alors que, âgé de seulement 9 ans, il sauvait sa soeur d'une maison en feu. À l'exception d'un séjour dans l'armée pendant la Première Guerre Mondiale, Red Hill a toujours vécu à Niagara Falls, se considérant non pas comme un cascadeur ou comme un casse-cou, mais plutôt comme un homme de la rivière.

Vous trouverez souvenirs et articles de journaux sur ces fabuleux exploits au musée ou au cinéma Imax. À ne pas manquer.

William Red Hill.

*e **cinéma Imax** fait participer ses spectateurs à de nombreuses grandes aventures. Imax n'est pas un film, c'est toute une expérience!*

*Le **musée de Niagara Falls,** établi en 1827, est le plus vieux musée en Amérique du Nord.*

*Séquoia géant, abattu dans le **comté d'Humbolt, en Californie,** un favori des visiteurs du musée.*

*Le **musée** présente une exposition d'Extrême-Orient, avec la plus vieille momie égyptienne au monde.*

*Le **musée** expose toute une gamme d'objets.*

DIVERTISSEMENTS ET ATTRACTIONS

Pour une aventure confortable, rien ne vaut la représentation au cinéma IMAX du film intitulé NIAGARA : MIRACLES, MYTHES ET MAGIE. Détendez-vous, détachez vos lacets et appréciez.

Les étudiants comme les touristes apprécient toujours une visite au musée de Niagara Falls. Établi en 1827, c'est le plus vieux musée d'Amérique du Nord. Vous y verrez les tonneaux originaux de certains casse-cou, ainsi que des objets à valeur historique, et des photographies et écrits des temps lointains de Niagara. C'est également un excellent musée général avec des expositions du Proche-Orient et de l'Extrême-Orient, dont celle de la momie égyptienne la plus ancienne et la mieux conservée au monde. De nombreux visiteurs laissent un message sur les vestiges du plus grand séquoia jamais abattu. Situé au 5651 du chemin River, le musée est ouvert à l'année longue.

*Les épaulards de **Marineland** se font apprécier du public à chaque performance.*

*Les **otaries de Californie**, en plus d'apprécier leur public, semblent beaucoup se plaire ensemble.*

Le cerf et l'élan n'ont peur de rien. Pas plus que les enfants d'ailleurs.

Dauphins en pleine action.

En plus d'être parmi les plus grandioses et les plus romantiques endroits au monde, la région des chutes vous propose divertissements de tout genre, sensations fortes et informations. La plus populaire de ses attractions étant indiscutablement Marineland. Ici, les gens de tout âge s'émerveillent devant les acrobaties des otaries de Californie, dauphins et épaulards. Ce parc héberge également une sympathique famille de cerfs et d'élans qui adorent se faire caresser. Les enfants de un à cent ans peuvent ajouter à leur visite quelques tours de manège à sensation. Prix d'entrée inclusif.

*Le **Spanish Aero-Car** pour les assoiffés de sensations.*

La croisière sur le Maid-of-the-Mist est un «must», quelque chose que chacun se doit de faire. Pas de cabine, pas de salle à manger, pas de chaises sur la passerelle. Néanmoins, c'est une croisière de plaisance dans le vrai sens du terme. Les passagers en imperméable (fourni) sont généralement tous d'humeur festive. Avec ses trois bateaux, le Maid-of-the-Mist vous propose un départ toutes les quinze minutes des quais canadien et américain. Une aventure à vivre de jour, de mai à octobre.

La descente dans la gorge et le Spanish Aero-Car vous offrent tous deux l'expérience du Tourbillon, un par ascenseur et l'autre par téléphérique au-dessus des tourbillons bouillonnants.

Passagers.

Signes d'érosion. Les rochers tombés changent à tout jamais le cours de la rivière.

*Vue des rapides du **Spanish Areo-Car**.*

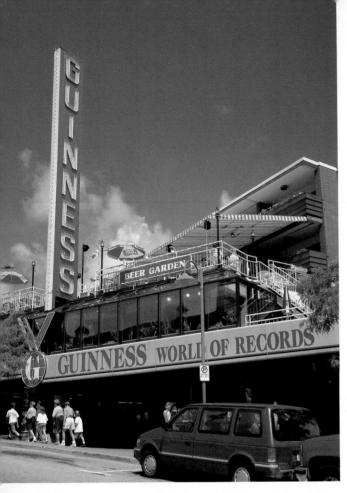

Par temps très chaud, il n'est parfois pas suffisant d'admirer l'eau. L'envie d'y plonger est souvent plus forte. Si c'est le cas, vous apprécierez vraisemblablement le parc aquatique Whitewater, où vous pouvez vous délecter des bienfaits et des plaisirs de la glissade jusque dans une piscine à vagues. De plus petites glissades et piscines pour les tout petits en font une aventure pour toute la famille.

Si vous aimez rire, les surprises et les monstres, l'endroit de prédilection, et vous ne pouvez le manquer, est Clifton Hill. Cet endroit touristique offre une pléiade d'attractions excitantes, maisons du rire, musées étranges, comiques et de monstres, jeux pour les tout petits, boutiques et restaurants. Cette rue vibrante pourrait facilement être baptisée la rue du rire de Niagara. Tous ceux et toutes celles qui visitent Niagara s'arrêtent à Clifton Hill. Et nous parlons ici de douze millions de personnes par année. Les résidents de Niagara y viennent aussi pour le plaisir.

En plus de sa magnificence, Niagara Falls est un endroit où il fait bon s'amuser.

La visite des chutes est merveilleuse, mais pourquoi ne pas en faire l'EXPÉRIENCE? Avec le nouveau **Ride Niagara**, aventure ultime et excitante, cette expérinece est vôtre. Cette attraction primée amuse les gens de tout âge. Goûtez à une échapée personnelle en toute sécurité au-dessus des chutes Niagara dans un étonnant simulateur informatisé avec système de mouvement.

Aimez-vous les papillons? Que diriez-vous d'en voir au moins 2 000 en une journée? Vous le pouvez en visitant le **Conservatoire de papillons de la Commission des parcs du Niagara**. Cette exposition ouverte à l'année longue sera cette année le foyer d'une vaste collection de papillons du monde entier, complète avec fleurs produisant du nectar et un environnement simulant une forêt dense tropicale.

*En toute sécurité et dans un confort total, le fiable Drax E-1000 vous permet de défier les chutes tonnantes sur **Ride Niagara** - l'ultime expérience.*

*Ce papillon Viceroy (Basilarchia Archippus) est l'un des 2 000 papillons que vous pourrez admirer au **Conservatoire de papillons de la Commission des parcs du Niagara**.*

People Mover transporte ses passagers vers tous les points d'intérêt.

Un autobus à impériale, pour une visite guidée passionnante.

TRANSPORTS

Les vacances sont souvent épuisantes pour ceux qui conduisent. La Commission des parcs du Niagara vous propose une solution fort intéressante - son propre **People Mover.** Offert en haute saison, ce service de transport va du terrain de stationnement des rapides au sud des îles Dufferin jusqu'au Spanish Aero-Car, du 1er mai à la mi-octobre, et jusqu'au parc Queenston Heights de la mi-juin à la Fête du travail. Un véhicule part toutes les quinze minutes et votre billet est valable pour toute la journée. Vous pouvez en descendre et y monter quand ça vous plaît. Les personnes qui visitent Niagara Falls pour la première fois apprécieront peut-être une visite plus structurée des attractions de Niagara. Ces personnes peuvent prendre les autobus d'excursion régulier (les autobus à impériale rouge sont les favoris). Ils vous conduisent vers les plus importants points d'intérêt et vous donnent des informations sur les principaux faits historiques et géologiques de la région.

La rue Queen à Niagara-on-the-Lake

ET CE N'EST PAS TOUT

Personne ne l'a mieux dit que le fabuleux **Sir Winston Churchill**, qui déclara que la promenade Niagara était «la plus jolie promenade dominicaine au monde». Ceci venant d'un homme qui a voyagé pratiquement dans le monde entier. Ainsi, n'hésitez pas à vous rendre en voiture jusqu'à **Niagara-on-the-Lake**, à l'embouchure de la rivière. Cette adorable ville, la première capitale du Haut-Canada, possède une culture et un charme qui lui sont propres. Les citoyens s'efforcent de maintenir l'esprit dix-neuvième siècle du village et la plupart des édifices reflètent cette tendance. Pas de bastringue ici et pas de fioritures. Grands bazars, centres d'achats sans intérêt et vendeurs de souvenirs y sont interdits. Les aimables boutiquiers sont toujours prêts à vous aider dans votre choix d'une porcelaine de Chine, d'un bijou, de cadeaux ou de vêtements. Pour les enfants, un parc, en plein centre-ville, avec piscine et terrain de jeux... plus tard, rendez-vous au bar laitier ou dans l'une des boutiques de fudge «maison».

*L'église **St. Andrew**, un pas en arrière vers les anciennes maisons canadiennes du culte.*

*En souvenir de **Laura Secord**, célèbre pour son héroïsme. Sa maison est aujourd'hui un musée.*

Le clocher et le palais de justice.

Le théâtre Royal George est également utilisé pendant le Festival Shaw.

*Le théâtre est une des principales attractions à **Niagara**.*

*L'hôtel **Prince of Wales** accueille les amoureux du théâtre et les personnes en quête d'un peu de bon temps.*

*Le **Festival Theatre** a accueilli des membres de familles royales, des diplomates et toutes sortes de gens comme vous et moi.*

Affiche du festival Shaw.

*Les **marchands de vin** de la péninsule du Niagara se mettent sur les rangs avec les meilleurs au monde.*

La plupart des caves à vin sont ouvertes au public et vous proposent des démonstrations sur la fabrication du vin.

Les amoureux du théâtre viennent à **Niagara-on-the-Lake** pour le célèbre **festival Shaw**. Cette excellente compagnie théâtrale présente les oeuvres de **G.B. Shaw** et de ses contemporains sur trois scènes différentes. La seule compagnie au monde montrant un tel dévouement. Il est bon de s'inscrire sur la liste d'envoi parce que le programme est annoncé et les billets sont mis en vente longtemps à l'avance.

La **région du Niagara** produit 80 % des raisins canadiens et d'innombrables vins lauréats de prix, et Niagara-on-the-Lake est entouré de vignobles. Ne manquez pas d'y visiter une cave à vin. Goûtez à un vin fameux tout droit des caves du marchand de vin.

Les mordus de l'histoire se régaleront de l'historique **Fort George,** un lieu stratégique pendant la guerre de 1812. Un autre point d'intérêt, le **musée d'apothicaire de Niagara,** qui est en fait un musée de pharmacologie. Les églises de cette petite ville, principalement du dix-neuvième siècle, ont conservé leur cachet original. Ne manquez pas la **chapelle Wayside,** sur la promenade Niagara.

*L'historique **Fort George**.*

*Le **Maid-of-the-Mist** navigue des chutes américaines aux chutes en fer à cheval.*

SAUVER LE PAYSAGE

Pendant que les touristes et les casse-cou se divertissaient, les gouvernements étudiaient avec souci l'éboulis à la base des chutes américaines. Bien que l'eau tombe d'une hauteur de 182 à 184 pieds, l'éboulis de roches brisées à la base montait à une allure constante, réduisant la chute d'eau à certains endroits d'un tiers et, par la même occasion, la beauté des chutes. Une équipe d'ingénieurs et de géologues fut embauchée pour détourner les chutes américaines sur les chutes en fer à cheval, de façon à pouvoir effectuer un levé de la base, pour déterminer si une partie de l'éboulis pourrait être retirée et si l'on pourrait prévenir les futures chutes de pierre. Les travaux ont duré cinq mois, à l'issue desquel l'équipe a conclu qu'il fallait laisser la nature suivre son cours étant donné qu'en déblayant les rochers, on risquait de précipiter une avalanche massive de la falaise. L'écoulement fut donc rétabli et les chutes Niagara retournèrent à leur état naturel. De façon étrange, pendant le détournement, alors qu'une grande partie de l'attraction de Niagara avait disparu, le tourisme augmenta considérablement. Des chutes sèches, encombrées, laissées à l'abandon et entièrement nues étaient quelque chose à voir à tout prix.

*Le **pont Rainbow** relie le Canada aux États-Unis et s'illumine majestueusement chaque soir.*

*Les parcs et jardins le long de la **promenade Niagara** valent la peine d'être visités.*

QUAND Y ALLER

La majesté ne connaît pas de saison basse. Pour leur propre bien-être et pour profiter au maximum des attractions, la majorité des touristes y viennent en été. La plupart des attractions sont ouvertes jusqu'en octobre, faisant de l'automne une saison idéale pour ceux qui peuvent prendre le temps. Toutefois, le spectacle hivernal est à couper le souffle. Neige, glace, vent et embruns créent des oeuvres d'art exquises, variant d'année en année, de jour en jour et même d'heure en heure.

Il arrive qu'un hiver permette la formation d'un **pont de glace.** Un gel précoce, suivi d'un réchauffement et d'une période ensoleillée contribuent de façon idéale à ce phénomène. Le pont de glace qui a résisté le plus longtemps a été observé en 1899, du 9 janvier au 11 avril. D'immenses plaques de glace s'effondrent sur les chutes pour se briser, flotter, geler à nouveau et enfin s'arrêter en une série de collines, ravins et crevasses. Dès que cela se sait, les touristes déferlent. Tout le monde se rue pour être le premier à traverser le pont. Pour la plupart, c'est l'aventure de toute une vie.

La tour du **Centre Minolta** *est décorée pour le festival des lumières et Noël chaque année.*

Le fameux **pont de glace** *a permis aux touristes d'avoir une vue imprenable sur les chutes.*

L'hiver est une saison grandiose pour une visite de Niagara Falls, de jour comme de nuit, le spectacle est à vous couper le souffle.

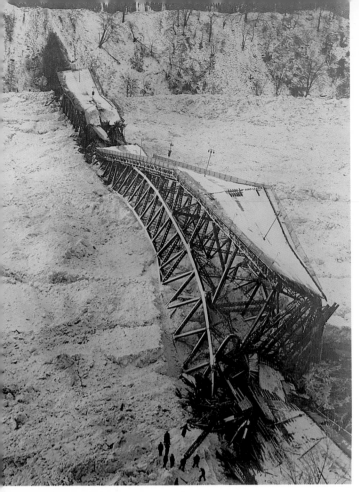

Un pont de glace miraculeux s'est formé en 1938. Les autorités des ponts s'inquiétaient alors de la solidité du **pont en arc en acier suspendu**, le passage principal entre les deux villes. Ils surveillèrent attentivement la météo et dès que la glace du lac Érié se mit à flotter le long de la rivière, en janvier de cette année, ils fermèrent le pont. Vers la fin de janvier, la rivière était embouteillée de plaques de glace de 18 mètres (60 pi) d'épaisseur, des chutes en fer à cheval à Youngstown, à 26,4 km (16,5 miles) en aval de la rivière. La nature déchaînée ne montre aucun respect pour les structures de la main de l'homme et le passage frontalier le plus achalandé entre le Canada et les États-Unis s'écroula. Dix milliers de spectateurs arrivèrent sur la scène dans les minutes qui suivirent et beaucoup d'autres plus tard. Des gens arrivaient en train, en autobus et en voiture pour voir les dommages causés par le pont écroulé et le pont de glace, et pour se lancer sur cette promenade glaciale. En avril, le dernier morceau du pont flotta en aval de la rivière sur une plaque de glace. Le nouveau passage, le **pont Rainbow**, a été officiellement inauguré en octobre 1941.

*Même en hiver, les **arc-en-ciels** ne se font jamais attendre bien longtemps.*

Depuis quelques années, on célèbre l'hiver à Niagara Falls avec l'extraordinaire **festival des lumières** de la mi-novembre à la mi-janvier. Au travers des parcs des deux côtés de la rivière, des spectacles de lumières et des concerts enchanteurs enivrent les touristes comme les résidents. Pendant cette période, on prolonge les heures d'illumination des chutes de façon à ce que personne ne manque ce spectacle grandiose. Les endroits favoris sont le **parc de la reine Victoria**, du côté canadien, et le **Wintergarden** à Niagara Falls, du côté des États-Unis.

Niagara Falls en pleine floraison printanière, avec le festival des fleurs.

Dès l'arrivée du printemps, Niagara Falls et la région se parent pour le **festival annuel des fleurs.** Les rues et les parcs se transforment en une scène resplendissante d'arbres fruitiers en fleurs, ainsi que d'énormes buissons de lilas et de magnolias. C'est alors que la ville s'éveille. Bienvenue à **Niagara Falls**.

OÙ ÉTIEZ-VOUS PENDANT LA CÉLÈBRE PANNE DE COURANT?

À 5 h 16, le 9 novembre 1965, une panne dans une des centrales électriques Adam Beck, du côté canadien, provoqua la plus importante panne de courant de l'histoire de l'Amérique du Nord. Trente millions de personnes furent plongées dans une obscurité totale en Ontario, dans l'État de New York et les États de l'Est américain. Pour beaucoup de gens, cette panne n'était qu'un inconvénient, alors que pour d'autres, c'était un désastre. Survenue en pleine heure de pointe, cette panne a entraîné de sérieux problèmes dans les grandes villes. À New York, en particulier, où des milliers de personnes se retrouvèrent emprisonnées dans des métros bondés ou, pendant des heures, dans des ascenseurs sans air, alors que d'autres restaient prisonnières aux étages supérieurs des tours à bureaux. Les pilotes de ligne qui se préparaient à atterrir, en fouillant l'obscurité pour trouver la piste d'atterrissage, eurent l'impression d'être entrés dans un vide ou dans un trou noir ou que c'était la fin du monde. Des villes comme Toronto et Boston vécurent des situations similaires. Mais, bien entendu, c'est New York, la plus grande de ces métropoles, qui en pâtit le plus. Et pour un temps record...treize heures et demi.

Publié et distribué par
Irving Weisdorf & Co. Ltd.
2801 John Street,
Markham, Ontario L3R 2Y8

Texte de
Joan Colgan Stortz

Conception de
David Villavera

Mise en page sur ordinateur
Amy Morrison

Photographe	Page
G. Counsell	3, 22a, 22b, 23a, 23b, 52a, 53a, 53b, 54b, 55, 56a
John Daly, courtoisie de la Commission des parcs du Niagara	42b
Festival des lumières	56b, 57a, 57b, 60g
L. Fisher	Page couverture, Couverture arrière, 1, 2, 4/5, 6, 7a, 7b, 8, 9a, 9b, 10a, 10b, 11, 12a, 12b, 13, 14, 15a, 15b, 16/17, 18, 19a, 19b, 20/21, 24a, 24b, 25a, 26a, 33b, 34a, 35a, 38a, 38b, 39a, 39b, 40a, 40b, 40c, 41a, 41b, 41c, 41d, 41e, 41f, 43a, 43b, 44, 45a, 45b, 45c, 45d, 46a,46b, 46c, 47a, 47b, 48a, 48b, 48c, 49b, 50, 51a, 51b, 60a, 60b, 60c, 60d, 60e, 60f, 60h, 61a, 61b, 61c, 61d, 61e, 61f, 62/63
Marineland	36a, 36b, 37a, 37b
J. Neiss, Niagara Gazette©	29a, 29b, 29c, 30/31, 32a, 32b
Courtoisie de la Niagara Falls Museum Ltd.	26b, 27, 33a, 34b, 35b, 52b
Commission des parcs du Niagara	54a, 58a, 58b, 58c, 58d, 59
Courtoisie de Ride Niagara	42a
R. Roels, courtoisie de la Niagara Falls Museum Ltd.	28
C. Wittmann	25b, 49a

Imprimé en Chine